家常百味 No.5

四季滋补汤羹粥

100例 重庆出版集团 重庆出版社

四季滋补汤羹粥

目录 contents

1杯=220毫升 **1大匙**=15毫升 **1小匙**=1茶匙=5毫升 **适量**=可以依个人口味增减分量。**少许**=略加即可,例如:放盐、花椒粉等调味料。**高汤**=可以随自己的喜好选择自己喜爱的高汤,如鸡高汤、素高汤或排骨高汤,也可以用自己煮的骨头汤来代替。如果自己没时间熬高汤,可以用市场上卖的高汤块、鲣鱼粉、香菇海带粉等混合清水制出快速高汤。

COOKING

山药
胡萝卜鸡汤*

材料

鸡翅根200克，山药、胡萝卜各100克。

调料

葱丝、盐、料酒各适量。

∷ 做法

1 鸡翅根洗净斩段，放入沸水中焯透后捞出；山药、胡萝卜去皮，洗净切块。

2 汤煲中加清水，放入鸡翅根、山药、胡萝卜，煮至滚沸后，烹入料酒，转小火煮1小时，加盐调味，用葱丝点缀即可。

营/养/快/线

　　山药高糖无脂肪，富含淀粉、胆碱、果胶等，可以改善血液循环，能防止冠心病和脂肪肝，增强机体免疫功能，补中益气，润肺固精，滋养强壮。

RECIPE

❤ TIPS
贴心小提示

1 烹制胡萝卜时最好不要放醋，否则会使胡萝卜中的维生素A原遭到破坏。

2 削皮的山药可以放入醋水中，以防止变色。

菠菜猪血汤*

材料
菠菜 500 克、猪血 250 克。

调料
香油、盐各适量。

:: 做法

1 菠菜洗干净，切段，入开水锅中焯一下捞出，沥水。

2 猪血漂洗干净，切小方块。

3 锅内加水，放入猪血煮沸，投入菠菜同煮片刻，加香油、盐调味。

营/养/快/线

菠菜可以清热润燥，猪血可以软化大肠，二者同食，具有润肠通便、清热润燥的作用，这道汤可以润肠通便、补血止血。

R E C I P E

TIPS
贴心小提示

婴幼儿和缺钙、软骨病、肺结核、肾结石、腹泻者不宜食用没焯过水的菠菜。

大蒜豆腐鱼头汤*

材料

鲜鱼头500克、鲜大蒜100克、豆腐3块。

调料

花生油、盐各适量。

:: 做法

1 大蒜洗净，切片。豆腐洗净，切片。

2 鱼头开边，去鳃洗净。

3 豆腐、鱼头分别下油锅煎香，铲起，放入开水煲内，加入大蒜片，大火煮滚，改小火炖30分钟，加盐调味即可。

营/养/快/线

这道汤可以健胃消食，大蒜中所含的二硫化合物和蒜辣素有杀菌作用，能抑制细菌滋生，可防治春季流行感冒、伤寒、霍乱、痢疾及寄生虫病等。

RECIPE

核桃芝麻小米粥 *

材料
小米 100 克，黑芝麻、核桃肉各 10 克。

调料
蜂蜜适量。

∷ 做法

1 黑芝麻、核桃肉一同捣烂成泥。

2 锅内倒水烧开，放入小米，烧开，加入芝麻、核桃，食用时调入蜂蜜。

♥ TIPS
贴心小提示

春季百花盛开，此时的蜂蜜数量多，质量好，可以多食。夏秋季节不宜多食。

营/养/快/线

芝麻中含钙比蔬菜和水果都多，仅次于虾皮，春天可以给孩子多吃些芝麻，这个时候正是孩子长骨骼的季节，可以多补充些钙。这道汤补益肝肾，养血安神，润肠通便。

RECIPE

萝卜海带蜇皮汤*

COOKING

材料

白萝卜250克，海带、海蜇皮各50克。

调料

盐、味精各适量。

:: 做法

1 白萝卜洗净去皮，切丝；海带洗净，切丝；海蜇皮洗净，切丝。

2 白萝卜、海带丝、海蜇皮丝一起放入开水锅中，以小火炖至萝卜熟透，加盐、味精调味即可。

营/养/快/线

1 春季进补以平和为好，可以改善体质，还能使体力充沛。

2 这道汤对高血压、热感冒及胸中烦闷等症有一定疗效。

RECIPE

♥ TIPS
贴心小提示

买来的海蜇常有泥沙。先把海蜇切成细丝，泡入浓度约50%的盐水中，用手抓沉片刻后捞出，把盐水倒掉，再用盐水泡，反复3次，就能把夹在海蜇皮里的泥沙全部洗净。

(🍴) COOKING

双耳
红枣汤 *

材料

黑木耳、银耳各 50 克，红枣
20 克。

:: 做法

① 先将所有材料洗净，红枣去
核；银耳泡水浸软备用。

② 在锅中放入八分满的水，待水
煮滚后，再放入所有材料，以大
火炖煮约 20 分钟后，再转为小
火，继续煮约 2 小时即可。

营/养/快/线

黑木耳、银耳都含有丰富的胶质，对血管硬化、高血压特
别有疗效。而药食同源的红枣，能补血，又能养心安神，是汤
方中最常用到的食材，不论煲汤或做糖水都适合，非常适宜春
季进补。

R E C I P E

八宝滋补鸡煲 *

材料
三黄鸡1只，山药、荸荠、胡萝卜各100克，玉米笋50克，枸杞、薏米、红枣、陈皮各适量。

调料
清汤、盐、味精、胡椒粉各适量。

:: 做法

① 三黄鸡去内脏，切大块，焯水洗净；山药、胡萝卜、荸荠去皮，洗净，山药、胡萝卜切滚刀块；枸杞、薏米、玉米笋、红枣、陈皮洗净。

② 煲内加清汤，将上述材料倒入烧开，改小火煨1小时，撇去浮沫，加盐、味精、胡椒粉调味即可。

营/养/快/线
这道菜适宜于春天补气养血、健脾消食。还可用于治疗脾虚少食、营养不良、胸腹胀满、呕吐反胃等。

♥ TIPS
贴心小提示
炖肉食时要先用开水余烫一下，然后洗去浮沫，用冷水开始炖，才能使蛋白质充分溶解，利于吸收。

RECIPE

10

COOKING

鲜白萝卜汤*

材料

白萝卜1个。

调料

生姜5片、盐适量。

做法

1 白萝卜洗净,切小块,同生姜一起放入锅中。

2 锅中加适量水,大火煮至白萝卜熟,加适量盐调味即可。

TIPS

贴心小提示

牛蒡卡汁加蜂蜜,可作为高血压和动脉硬化患者的辅助食疗品。白萝卜洗净切片或丝,加糖食用,有降气化痰平喘的作用,适合患有急慢性气管炎或咳嗽痰多气喘者食用。

营/养/快/线

1 萝卜含有糖化酵素和芥子油成分,能促进胃肠蠕动、增强食欲、帮助消化。萝卜味甘辛、性凉,有下气定喘、止咳化痰、利大小便和清热解毒的功效,适宜在春天食用。

2 这道汤解毒生津,适用于春天感冒咳嗽、吐痰不畅、口干等。

RECIPE

11

COOKING

鱼丝蛋蓉羹 *

材料
青鱼中段200克、鸡蛋2个、水发香菇25克。

调料
葱段、葱丝、盐、黄酒、水淀粉、清汤、味精、油、香油、白胡椒粉各适量。

做法

① 青鱼中段剖开，去脊骨、腹刺，再去皮，然后顺长切成薄片，再切成细丝；水发香菇洗净，切成细丝；鸡蛋打入碗内，搅散。

② 烧热锅，倒油，下葱段煸香，加清汤2小碗，捞出葱段，再放黄酒、盐、味精、鱼丝、水发香菇丝，大火烧沸，勾薄芡，使汤汁成为米汤状，淋入鸡蛋液，撒上胡椒粉，淋上香油，出锅装碗，再撒上葱丝即可。

营/养/快/线

春天不能用温补食品过多，要多吃鸡蛋、鸡肉、瘦猪肉、红枣等平补食物。

RECIPE

TIPS
贴心小提示

做汤时应先勾芡再淋蛋液，边淋边用勺轻轻推动，使蛋液均匀地和汤汁混合，呈现为纤细的蛋丝，避免结块。

银耳莲子百合羹*

材料

银耳、莲子各20克，百合10克，枸杞适量。

调料

冰糖适量。

做法

① 用热水泡银耳至全发；莲子、百合用温水泡至软；枸杞洗净，用冷水泡约30分钟。

② 锅内倒水烧开，放入莲子煮约15分钟后，放百合和银耳，烧开后改中火炖45分钟。

③ 锅内加冰糖煮30分钟，加入枸杞煮10~15分钟后即可。

营/养/快/线

莲子富含蛋白质、脂肪、淀粉，具有养心、益肾、补脾等作用。莲子烹调前一定要先用热水泡，否则太硬不好吃，还会延长烹调时间。

RECIPE

13

三色豆腐羹 *

材料

盒装豆腐1盒、鸭血200克、蘑菇100克、鸡蛋1个。

调料

盐、油、清汤、味精、水淀粉和嫩姜丝各适量。

:: 做法

① 鸭血洗净，切小块；蘑菇洗净，切丁；盒装豆腐洗净切小块，在沸水锅中焯一下捞出；鸡蛋打散。

② 炒锅上火，放入适量油烧热，先投入嫩姜丝略煸一下，然后放入清汤，再依次放入鸭血、蘑菇、豆腐继续烧片刻，再加入味精，淋入蛋液，勾芡即可。

♥ TIPS
贴心小提示

1 如没有清汤亦可用清水代替，或者用鸡精加水对成清汤。鸭血也可以换成鸡血。

2 这道汤营养丰富，色泽鲜艳，助消益胃，味美可口。

什锦水果羹

材料

橘子、苹果、鸭梨、香蕉、草莓各50克。

调料

水淀粉、白糖各适量。

∷ 做法

① 将各种水果去皮、核,切小丁,放入盆中待用。

② 锅中加入清水和各种果丁,煮沸后加入白糖,用水淀粉勾芡即可。

♥ TIPS
贴心小提示

用胡萝卜汁和苹果泥制成糊用来敷脸,可以滋润皮肤。爱美的女性朋友可以试一试。

营/养/快/线

春天宜多食水果。这道羹生肌润肤,延缓衰老。苹果有补中益气、生津润肺、增加血色素的作用,多食可使皮肤变得细嫩红润。梨属碱性食物,对人体酸碱平衡有一定作用,多食可预防暗疮。橘子及香蕉的维生素C能增强血管壁弹性,令血液循环加快,使皮肤变得光滑、细腻、白嫩。

百合糯米粥*

材料
百合90克、糯米300克。

调料
白糖适量。

:: 做法

①百合、糯米洗净。

②锅置火上，加清水烧开，放入百合、糯米煮成粥，加入白糖调味即可。

营/养/快/线

百合富含淀粉、蛋白质、脂肪、碳水化合物及钙、磷、铁等矿物质，具有润肺止咳、宁心安神、补中益气的功效。这道粥有补中益气、健胃养脾、安神等功能，可以主治胃痛心烦、失眠等症。

RECIPE

♥ TIPS
贴心小提示

煮粥时要用开水下粥，这样煮出来的粥颗粒圆润，味道甜美。

COOKING

核桃栗子莲藕汤 *

材料

莲藕500克，核桃仁、莲子、栗子各100克，陈皮1片，红枣10枚。

做法

1 先将所有材料洗净，莲藕切大块；红枣去核；莲子去心。

2 锅中倒入八分满的水，先放入陈皮，待水煮滚后，再加入所有材料，以大火炖煮约20分钟，转小火，煮约2小时即可。

TIPS
贴心小提示

莲子和红枣要去心、去核，莲子中绿色的心味苦，久煮后整锅汤都会味变苦，而红枣较上火，煲汤时也一定要去掉。

营/养/快/线

核桃可以补肾固肺、补血补气，常吃核桃可以开胃，还可以通润血脉，让皮肤细嫩。这道核桃栗子莲藕汤口味香甜，核桃、栗子和莲子久煮都会糊化，让整锅汤更浓稠、更香甜。

RECIPE

🍴 COOKING

冬瓜
蜜枣花生汤*

材料

冬瓜 500 克，蜜枣 5 枚，生花生仁 150 克，桂圆肉、薏米各 50 克。

做法

1 先将所有材料洗净，桂圆肉泡水浸软。

2 冬瓜不必去皮，切成大块状；薏米洗净，泡水 2 小时备用。

3 在锅中放入八分满的水，待水煮滚后，再放入所有材料，用大火炖煮约 20 分钟后，再转为小火，继续煮约 2 小时 30 分钟即可。

营/养/快/线

1 花生古时被称为长生果，含有丰富的脂肪、蛋白质、磷、钙和铁质，也有丰富的维生素 A、B 等成分，除了可以直接食用，用来熬汤也很普遍。

2 久煮的花生仁会变得软烂，加上补血的桂圆肉同煮，味道甜美，可以补气益血，增加血小板浓度，改善碰撞后的淤青问题。

RECIPE

苦瓜绿豆汤

材料

苦瓜2根、绿豆150克、陈皮1片。

做法

1 绿豆洗净，浸泡30分钟；苦瓜洗净，切块；陈皮洗净。

2 锅中放入八分满的水，加入1片陈皮，待水煮滚后，放入所有材料，大火炖煮约20分钟后，转小火，继续煮约2小时即可。

营/养/快/线

苦瓜和绿豆都是凉补的食材，绿豆能补益元气、调和五脏、去浮风、润皮肤、止消渴；而苦瓜则具有清热消暑、养血益气、补肾健脾、滋肝明目的功效，对改善痢疾、疮肿、中暑发热、痱子过多、结膜炎等病症有一定的作用。两种食材合煮，味道特别清香，口感清爽，适合夏天喝。

RECIPE

贴心小提示

煮绿豆忌用铁锅，因为豆皮中所含的单宁质遇铁后会发生化学反应，生成黑色的单宁铁，并使绿豆的汤汁变为黑色，影响味道及人体的消化吸收。

19

太湖银鱼羹*

材料

银鱼100克、鸡脯肉250克、鸡蛋1个。

调料

盐、味精、胡椒粉、高汤、水淀粉、鸡油、香菜末各适量。

做法

1 银鱼洗净，沥干水分；鸡蛋取蛋清。

2 鸡脯肉切成5厘米长的细丝，加入鸡蛋清、水淀粉、盐调匀上浆，氽水后捞出沥干。

3 锅内加高汤烧沸，放入银鱼、鸡丝，加入盐、味精，勾芡，撒上香菜末、胡椒粉，淋入鸡油即可。

营/养/快/线

夏季食欲减退，人的肠胃功能减弱，宜食用清淡的食物，鸡肉、银鱼就是不错的选择。这道羹可以养阴补肾，适用于治疗头晕目眩、虚劳羸瘦等。

RECIPE

COOKING

大虾豆腐汤[*]

材料

大虾6只、豆腐200克。

调料

葱花、盐、味精、清汤、香油各适量。

做法

1 豆腐洗净，切条；大虾洗净，焯水。

2 锅中加入清汤，放入豆腐条、大虾烧开，打去浮沫，加入盐、味精调味，煮3分钟后撒上葱花，淋香油即可。

TIPS

贴心小提示

葱花在出锅前撒，香味尤浓。

营/养/快/线

夏季蛋白质的每日摄入量在100~120克为宜，且最好一半以上为鱼、虾、瘦肉、鸡肉、鸭肉、蛋、奶和豆制品等易被人体消化和吸收的优质蛋白质。

RECIPE

COOKING

红豆
冬瓜汤

材料
冬瓜400克、红豆200克。

调料
盐适量。

:: 做法

① 冬瓜清洗干净后去皮,切块,红豆淘洗干净,浸泡6个小时后备用。

② 锅中放适量水烧开,倒入红豆煮熟。

③ 将冬瓜块放入锅中,开盖中火煮至冬瓜变透明,加盐调味即可。

♥ TIPS
贴心小提示

用开水煮豆,可以节约煮制时间。

营/养/快/线

这道汤有利尿消肿,降低胆固醇、排除体内湿气的作用,适宜夏天食用。

RECIPE

虾仁豆腐蛋花汤 *

材料
嫩豆腐80克、虾仁15克、鸡蛋1个。

调料
盐、水淀粉、香油各适量。

:: 做法

① 虾仁去除肠泥，洗净，切成丁；豆腐洗净，切成小块；鸡蛋打散。

② 锅内倒水烧开，加入豆腐块、虾丁煮，用大火煮10分钟，加盐调味，淋入水淀粉，淋入蛋液搅散，淋入香油即可。

营/养/快/线
夏天可以多喝些粥汤羹，少吃煎炸食品。

RECIPE

贴心小提示
豆腐质地柔软，营养丰富。可以用豆腐加一些蛋汁或肉馅、少许盐，搅拌均匀，捏成小丸子，加高汤煮熟。

🍴 COOKING

南瓜西米羹 *

材料
南瓜、西米各100克。

调料
冰糖适量。

:: 做法

① 南瓜去皮，洗净，切薄块，放入微波炉，用高火加热五六分钟，至南瓜熟软，用小勺将南瓜捻烂。

② 锅内加水烧开，加入南瓜泥及西米中火烧开后，转小火煮至西米透明，南瓜泥煮化成黏稠状，加入冰糖，煮至融化，晾凉，冷藏2小时以上即可。

营/养/快/线

这道羹加入冰糖，冷藏后，更加好吃，但是肠胃不好者不要吃冷食，以免肠胃不适。

RECIPE

❤ TIPS
贴心小提示

南瓜要切薄片，这样好熟；煮羹时要不断搅拌，防止粘锅。

COOKING

鸡蓉玉米羹*

材料
玉米罐头 1/2 听、鸡蛋 2 个。

调料
水淀粉、白糖各适量。

∷ 做法

1 玉米罐头打开，捞出玉米粒；鸡蛋打于碗中，搅打均匀。

2 锅中倒入适量水，倒入玉米粒，加入白糖煮开，用水淀粉勾芡，随即淋入打散的鸡蛋液即可。

营/养/快/线

玉米中的纤维素含量很高，为精米面的6~8倍，能刺激胃肠蠕动、加速粪便排泄，常吃新鲜玉米能防治便秘和痔疮，还能减少胃肠病的发生。玉米还有开胃及降血脂的功效，适宜夏天食用。

RECIPE

♥ TIPS
贴心小提示

夏天有新鲜的玉米用来煮羹更好，味道更为鲜美，营养更加丰富。

COOKING

丝瓜粥*

材料
丝瓜500克、大米100克、虾米15克。

调料
姜末、葱花、盐各适量。

:: 做法

① 丝瓜洗净去皮，切小块备用；大米洗好备用。

② 锅内加水，上火烧开，倒入洗好的大米煮羹，将熟时，加入丝瓜块和虾米及葱花、姜末、盐烧沸入味即可。

营/养/快/线

丝瓜含有皂甙、丝瓜苦味素、瓜氨酸、木聚糖、脂肪、蛋白质、维生素B、维生素C等成分，其味甘性凉，能清热、凉血、解毒，与大米、虾米同用煮羹，有清热和胃、化痰止咳的作用。对治疗慢性支气管炎、咳嗽并发或咽喉肿痛均有一定效果，可供早晚餐用。

RECIPE

❤ TIPS
贴心小提示

因为这道粥中有虾米，所以没有放盐，可以在吃前尝一尝咸淡，再决定要不要放盐。

COOKING

小米玉米粥*

材料

小米 200 克、玉米碎 80 克。

做法

1 小米洗净，加入玉米碎拌匀，一同放入锅中加 7 杯水浸泡 30 分钟。

2 将米锅移至火上烧开，改小火，煮至米碎软烂黏稠即可。

营/养/快/线

适合脾胃虚弱、食不消化、反胃呕吐、泄泻者食用，夏季人食欲不振，可以食用此粥。小米还有促进睡眠的作用。

RECIPE

❤ TIPS
贴心小提示

在关火后，要待粥晾凉食用，经常食用过烫的食物，对食道有很大危害。

27

COOKING

燕麦南瓜粥 *

材料
燕麦 30 克、大米 50 克、小南瓜 1 个。

调料
葱花、盐各适量。

做法

① 南瓜洗净，削皮，切成小块；大米洗净，用清水浸泡 30 分钟。

② 锅置火上，将大米放入锅中，加水 500 毫升，大火煮沸后换小火煮 20 分钟。

③ 放入南瓜块，小火煮 10 分钟；再加入燕麦，继续用小火煮 10 分钟，熄火后，加入盐、葱花调味即可。

营/养/快/线

燕麦含有钙、磷、锌等矿物质，可以降低胆固醇，也有预防骨质疏松、促进伤口愈合、预防贫血的功效。燕麦还含有植物纤维、维生素 B_1、维生素 B_{12}，可以调理消化道功能，和南瓜同用，效果更佳。尤其适合老年人夏季食用。

RECIPE

COOKING

糯米桂圆莲子粥*

材料

圆糯米60克、桂圆肉10克、去心莲子20克、红枣6克。

调料

冰糖适量。

∷ 做法

① 先将莲子洗净；红枣洗净去核；圆糯米洗净，浸泡在水中。

② 莲子与圆糯米加600毫升的水，小火煮40分钟，加入桂圆肉、红枣再熬煮15分钟，加适量冰糖即可。

♥ TIPS
贴心小提示

放冰糖后要注意搅动，以免糊锅。冰糖也可以用蜂蜜、白糖来代替。

营/养/快/线

桂圆肉性温、味甘，补血益心、安神；莲子性平、味甘、补脾益肾；红枣性平、味甘，可补益脾胃；糯米性温、味甘，能补中益气，这些食物组合适用于忧郁症失眠患者和夏季炎热失眠者。有感冒现象者，不适合吃桂圆，易上火。

银耳雪梨汤*

材料

雪梨3个、南北杏适量、银耳50克、蜜枣5枚、胡萝卜2根、陈皮1片。

做法

1 先将所有材料洗净，银耳用清水泡发，胡萝卜削去外皮后，切成大块状备用。

2 锅中放入八分满的水，加入陈皮，待水煮滚后，再放入所有材料，大火炖煮约20分钟后，再转为小火，继续煮约3小时即可。

> ♥ TIPS 贴心小提示
>
> 银耳可以在熄火前30分钟再放进锅中，这样银耳的口感最好，而且不会使汤变得黏糊。

营/养/快/线

胡萝卜含有丰富的维生素A和β-胡萝卜素，是蔬果之冠，也是炖汤最适宜的蔬菜，胡萝卜煮后更能释放甜味，整锅汤都会变得很美味；银耳还具滋养肌肤的功效。这道汤止咳清痰、降火利尿，适合秋季食用。

RECIPE

COOKING

苹果银耳汤

材料

雪梨2个、苹果2个、银耳20克、荸荠15个、陈皮1片。

做法

1 先将所有材料洗净，荸荠削去外皮，银耳预先浸泡在水中备用。

2 锅中放入八分满的水，先放入陈皮，待水煮沸后，再放入所有材料，以大火炖煮约20分钟后，再转为小火，继续煮约2小时即可。

营/养/快/线

这道汤具有滋润皮肤、养肺润燥的功效，再加了苹果和雪梨两种水果，更是双重滋润，尤其适合秋季食用。

RECIPE

TIPS
贴心小提示

燕窝，雪梨和银耳就是润眼养颜最好的食物，最佳的选择是银耳，它的口感和功效其实和品贵的燕窝差不多，家庭也大多用银耳来取代燕窝，同样可以达到食补效果。

番茄马蹄排骨汤 *

材料
排骨500克、豆芽300克、番茄2个、荸荠10个。

调料
姜2片、盐适量。

∷ 做法

① 将所有的材料洗净,番茄去蒂后,洗净,切大块;排骨放入滚水中汆烫片刻,取出备用。

② 锅中放入八分满的水,放入排骨、姜片、少量盐,待水开后再放入豆芽、番茄、荸荠,以大火煮约20分钟后,再转为小火,炖煮约2小时40分钟,放盐调味即可。

营/养/快/线

这道汤用了番茄、荸荠,喝起来味道特别清甜,又用的是没有多少油脂的排骨来煲煮,营养够,热量却不高,是一道不错的减肥汤。除了好喝之外,还有清热化痰的功效,非常适合在秋天喝。

RECIPE

COOKING

银耳雪梨炖瘦肉*

材料

银耳3克、雪梨50克、瘦肉100克、蜜枣6枚。

做法

① 将瘦肉洗净，沸水略煮后切块；银耳洗净，撕小片；雪梨洗净切块。

② 银耳、雪梨、蜜枣放入炖盅内，加300毫升水，隔水炖1小时即可。

营/养/快/线

咽喉干涸、肺燥干咳或痰带血丝、心烦不寐、大便干结等患者适合这道汤。

RECIPE

♥ TIPS
贴心小提示

要注意银耳的数量，一般一两朵就够，因为一朵就可以泡发出大大的一碗。

COOKING

党参枸杞炖乌鸡*

材料
乌鸡300克，党参5克，枸杞、桂圆肉各适量。

调料
生姜、盐各适量。

:: 做法

① 将乌鸡洗净，切块，用开水略烫煮；党参洗净，切段。

② 炖盅内放入鸡块、党参、生姜、枸杞、桂圆肉、盐，再加250毫升水，隔水炖2小时即可。

营/养/快/线

乌鸡含有丰富的优质蛋白质、维生素B2、烟酸、维生素E、磷、铁、钾、钠，而胆固醇和脂肪含量则很少，被称为"黑了心的宝贝"。食用乌鸡可以提高生理机能、延缓衰老、强筋健骨。对防治骨质疏松、佝偻病、妇女缺铁性贫血症等有明显功效，是补虚劳、养身体的上好佳品，也是秋季进补的好食材。

RECIPE

♥ TIPS
贴心小提示
汤中也可以加入桂圆和当归，这样不仅能补益气血，并且能够改善失眠健忘等不良症状。

COOKING

桂花银耳羹*

材料

水发银耳100克。

调料

冰糖、糖桂花各适量。

∷ 做法

1 银耳洗净，去根部，再用温水洗几遍，撕成小朵。

2 锅内倒水，放入银耳烧开，加冰糖再次烧至银耳黏软，放入糖桂花搅拌，烧至汤变浓稠时即可。

营/养/快/线

银耳含有丰富的胶质、多种维生素、无机盐、氨基酸，具有强精补肾、滋肠益胃、补气和血、强心壮志、补脑提神、美容嫩肤、延年益寿的功效。冰糖性平，可以和胃润肺、止咳化痰。二者同食，滋补作用更加显著。

RECIPE

♥ TIPS
贴心小提示

● 银耳对肺、胃、肾、心、脑有滋补作用。做菜时荤素都可搭配，但人们通常将其做成甜食。

● 如果没有冰糖，也可以用白糖，用量可以根据个人口味添加。

COOKING

山药排骨汤 *

材料

新鲜山药400克，玉米1根，莲藕、排骨各200克。

调料

盐、香油各适量。

:: 做法

❶所有的材料洗净，山药去皮后切块，玉米切块，莲藕去皮后切片，排骨汆烫去血水。

❷将所有材料放进锅中，加适量水煮开，转小火炖约1小时，加盐调味即可。

营/养/快/线

喝这道汤可以补气益虚，而且它能消除水肿，对皮肤和身材都有美容效果，所以这道没有很多中药的滋补汤常常出现在家中的晚餐桌上，特别是秋冬季都可以多用。

RECIPE

冬瓜玉米汤

材料

胡萝卜350克、冬瓜300克、玉米2根、冬菇5朵、瘦肉150克。

材料

姜片、盐各适量。

:: 做法

① 胡萝卜去皮洗净，切块；冬瓜洗净，切厚块；玉米洗净，切段；冬菇浸软后，去蒂洗净，切片；瘦肉洗干净，氽烫后再洗干净。

② 煲内倒入适量水烧滚，下胡萝卜、冬瓜、玉米、冬菇、瘦肉、姜片，煲滚后以慢火煲2小时，加盐调味即可。

营/养/快/线

胡萝卜含有丰富的营养素，其中的胡萝卜素更使胡萝卜成为健康明星，多吃胡萝卜，可以降低血中胆固醇，预防心脏病和肿瘤。玉米也有降胆固醇、降血压、利尿的功效。加入冬瓜、冬菇和瘦肉，营养更加均衡，更有利于人体吸收。

RECIPE

COOKING

栗子粥*

材料
大米粥1小碗、栗子3个。

调料
盐少许。

∷ 做法

1 将栗子剥去外皮和内皮后切碎。

2 锅置火上，加入水，放入栗子煮熟后，再与大米粥混合同煮至熟，加入少许盐，使其具有淡淡的咸味即可。

营/养/快/线

此菜含有丰富的蛋白质、碳水化合物及维生素B₁、维生素B₂、维生素C和尼克酸等多种营养素。秋天盛产栗子，适量地吃一些，对身体很有好处。

RECIPE

♥ TIPS
贴心小提示

1 栗子一定要剥净内外皮，煮烂。

2 栗子虽营养丰富，但吃过多容易腹胀，要适可而止。

山药**虾粥**[*]

材料
山药30克、虾仁5个、大米50克。

调料
盐、味精各适量。

做法

1 将大米洗净；山药去皮，洗净，切成小块；虾仁去虾线，洗净，切成两半备用。

2 锅内加水，投入大米，烧开后加入山药块，用小火煮成粥，待粥将熟时，放入虾仁，加入盐和味精调味即可。

贴心小提示
大米要先于山药入锅，以利熟烂。山药削皮时有黏液渗出，所以要小心，不要割破手。

营/养/快/线

山药健脾养胃；对虾又称明虾，味甘、咸，性微温，能补肾助阳，益脾胃。两者做成此粥，含蛋白质、脂肪和维生素A、维生素B1、维生素B2、维生素B5及钙、磷、铁等成分。

RECIPE

营/养/快/线

猪蹄中含有丰富的胶原蛋白，胶原蛋白是构成肌腱、韧带及结缔组织的最主要的蛋白质成分。可促进毛发、指甲生长，保持皮肤柔软、细腻，使指甲有光泽。此外，猪蹄还有补血、健腰腿的功效，很适合血虚和老年体弱者食用。也可以作为女性秋季滋润美容粥经常食用。

RECIPE

COOKING

猪蹄花生粥*

材料
猪蹄1个、大米100克、花生仁30克。

调料
葱花、盐、味精各适量。

做法

①猪蹄洗净，剁成小块，放入开水锅中焯烫，去血水，然后再放入开水中煮至汤汁浓稠。

②大米淘净，加水煮开，放入猪蹄、花生仁，煮至烂稠，加入盐、味精、葱花即可。

黄花菜瘦肉粥*

材料

黄花菜、瘦肉各 50 克，大米 100 克。

调料

盐、葱、姜丝各适量。

做法

1 黄花菜洗净，瘦肉切片备用。

2 姜、大米、黄花菜一同放入滚水中，同煮成粥，之后放入葱、肉，肉将熟时加入盐调味即可。

TIPS

贴心小提示

水开后米下锅时搅几下，盖上锅盖，小火煮20分钟后，开始不停地搅动，一直持续到粥呈黏稠状出锅为止。为防止粥溢锅，可在煮粥的时候加几滴植物油或少量盐。

营/养/快/线

黄花菜营养丰富，含有人体所需的16种氨基酸和多种矿物质，具有健胃、利尿、安神、生津等功效。

RECIPE

41

营/养/快/线

1 羊肉含有很高的蛋白质、矿物质和丰富的维生素，且羊肉的脂肪不易被人体吸收，人吃了不容易发胖。羊肉肉质细嫩，容易被消化，多吃羊肉可以提高身体素质，提高抗疾病能力，冬季可以多吃。

2 常饮这道汤可预防高血压和动脉硬化。

RECIPE

COOKING

红枣木耳羊肉汤*

材料

羊肉300克，红枣10枚，木耳、桂圆肉各50克。

调料

姜片、盐各适量。

做法

1 羊肉洗净，切小块，入沸水锅中焯透，捞出洗净。

2 木耳发好洗净；红枣洗净去核。

3 沙锅内加清水烧沸，放入羊肉、木耳、桂圆肉、红枣、姜片，以中火炖3小时至羊肉熟烂，加少许盐调味即可。

COOKING

滋补羊肉汤*

材料

羊肉500克、党参10克、红枣3枚、枸杞10克。

调料

姜、料酒、胡椒粉、盐、白糖、味精各适量。

∷ 做法

① 羊肉洗净剁成块；党参切段洗净；红枣、枸杞泡透；姜洗净切片。

② 锅内加水，待水开时放入羊肉块，用中火煮去血水，捞起冲净待用。

③ 在炖盅内放入羊肉块、姜片、党参段、红枣、枸杞、盐、味精、白糖、胡椒粉、料酒，加入清水，放入蒸锅蒸2小时即可。

营/养/快/线

1 煲羊肉时滴入一滴白酒，既可去膻味，也可使肉酥烂得更快。

2 羊肉可以祛湿气、避寒冷、暖心胃，适合冬季食用。

R E C I P E

COOKING

萝卜丝鲫鱼汤*

材料
鲫鱼500克、白萝卜300克。

调料
香葱、生姜、油、料酒、盐、味精各适量。

做法

1 鲫鱼宰杀洗净，在鱼身两面各划5刀；白萝卜去皮洗净，切细丝；香葱洗净切段；生姜洗净切片。

2 锅内倒油，烧热，把鲫鱼煎至两面略呈黄褐色，倒入适量水、香葱段、生姜片、白萝卜丝及料酒，用小火煮至水开后再煮10分钟，放入盐、味精，取出葱段即可。

营/养/快/线

鲫鱼肉质细嫩，肉味甜美，每100克肉含蛋白质13克、脂肪11克，并含有大量的钙、磷、铁等矿物质。鲫鱼具有和中补虚、除湿利水、补虚羸、温胃进食、补中生气之功效，鲫鱼熬萝卜，不仅味道鲜美，而且可以祛病益寿。

RECIPE

❤ TIPS
贴心小提示

最好先把白萝卜丝放入开水中烫一下，以去掉辛辣味。

莲藕粥[*]

材料
莲藕300克、大米100克、红枣1枚。

调料
白糖适量。

∷ 做法

① 藕刮洗干净，切成薄片；大米淘洗干净。

② 将大米、藕片、红枣一同下锅用水煮成粥，将熟时调入白糖，煮熟即可。

营/养/快/线

　　藕性凉，味甘微涩，含有鞣质及天门冬酰胺等成分，有较好的收涩止血作用，并能清热生津，凉血止血。可用来治疗小儿脾虚久泄、便中带血。

RECIPE

♥ TIPS
贴心小提示

　　选购莲藕时，最好选用两头都有节的，这样洗净外皮，削去洗净，切片就行。如果有一端没节，就最好切片后再用水冲洗一下。

芝麻核桃粥 *

材料
核桃仁100克、黑芝麻1大匙、大米100克。

调料
白糖适量。

:: 做法

① 核桃仁放入锅中用小火炒一下，盛起；黑芝麻用干净纱布包裹，洗净，将芝麻放入锅中炒片刻。

② 大米煮成粥，加入核桃、黑芝麻、糖混合拌匀即可。

♥ TIPS
贴心小提示

芝麻入锅炒后，可以增加脆度，吃起来口感更好。只是炒时注意要小火，否则易煳。

营/养/快/线

核桃和芝麻都有补肾、乌发的功效，核桃与芝麻的美肤效果甚佳，即使是在冬天也能让肌肤变得有光泽，同时也可改善高血脂、恢复体力。但芝麻核桃的热量皆偏高，一次不宜制作过多。

RECIPE

COOKING

八宝粥*

材料

糯米150克，红小豆、绿豆各75克，红枣、莲子、桃仁、花生仁、栗子各50克。

∷ 做法

1 红小豆、绿豆洗净，分别放入两个小铝盆中，加清水，没过豆面4厘米，上火煮1小时，豆皮绽开，豆汤快熬干时即可。

2 莲子洗净，去外皮，捅出莲心，洗净；剥去栗子内外两层皮，洗净；剥去桃仁外皮，桃仁掰成两半；花生仁放入沸水盆中浸泡10分钟，去衣；红枣洗净去核；糯米洗净。

3 锅内倒入清水，大火烧沸，放入糯米、红小豆、绿豆、莲子、栗子、桃仁、花生仁、红枣，再煮沸，然后用小火熬30分钟左右，熬至米烂汁稠即可。

营/养/快/线

这道粥含有米和豆类，能互补蛋白质中氨基酸数量和含量的不足，搭配出最佳的营养组合。

RECIPE

❤ TIPS
贴心小提示

寒冷的冬天，来一碗热乎乎的八宝粥，既补充了营养，又能品尝美味，还可美容养颜，爱美的女性一定要多吃。

鸡蓉竹荪汤

材料 鸡脯肉200克、水发竹荪50克、水发香菇5朵、香菜30克、胡萝卜100克、鸡蛋1个。

调料 盐、高汤各适量。

做法

1.鸡蛋取清；鸡脯肉洗净去筋切成条，加工成蓉泥，再加盐、鸡蛋清搅匀腌渍。

2.水发竹荪洗净切成片，胡萝卜洗净切

片；香菇洗净切片。

3.鸡肉蓉装盆，上笼蒸5分钟取出备用。

4.竹荪、胡萝卜、香菇焯水，再用高汤汆一下装盆，再把蒸好的鸡蓉放入汤中搅匀即可。

TIPS 贴心小提示

鸡肉性平，可以在春季多食，这道汤为春季滋补汤。

鲫鱼生姜汤

材料 鲫鱼1条。

调料 姜片、葱段、香菜、蒜瓣、盐各适量。

做法

1.鲫鱼去内脏去腮，洗净。

2.鲫鱼与姜片、葱段加水炖煮，出锅前

再加香菜、蒜瓣、适量盐稍煮即可。

TIPS
贴心小提示

鲫鱼生姜汤的做法重在久炖，久炖后吃鱼喝汤，易消化，能提高免疫力，防治春季流感。

黄豆芽猪血汤

材料 黄豆芽、猪血各250克。

调料 油、葱段、姜片、蒜末、香菜、盐各适量。

 做法

1.猪血洗净，切小丁，再用温水漂净；黄豆芽洗净，控水。

2.锅置火上，放油烧热，放入葱段、姜片、蒜末爆锅后，放入猪血丁，加水，煮沸。

3.倒入豆芽，再煮10分钟，加香菜、盐调味即可。

♥ TIPS 贴心小提示

这道汤有清热解毒、祛风散寒、润肺补血之功，能防治老人常有的便秘和缺铁性贫血。

小鸡炖蘑菇

材料 小仔鸡1只、水发蘑菇500克。

调料 油、葱段、姜片、八角、盐各适量。

 做法

1.小仔鸡宰杀洗净，斩块；水发蘑菇洗净，切块。

2.锅置火上，放油烧热，放入鸡块翻炒，加葱段、姜片、八角、盐，加水3000毫升，煮沸，放入蘑菇，小火煨炖1小时即可。

♥ TIPS 贴心小提示

这道汤不仅能增强体质，还有助于预防流感与呼吸道感染，春季可以多吃。

山楂排骨汤

● **材料** 山楂30克、猪排150克。

● **调料** 八角、肉桂、盐各适量。

做法

1. 山楂去蒂，洗净；猪排洗净，剁块。

2. 锅置火上，放适量水，加入山楂、猪

排、八角和肉桂，慢火同煨1小时，加盐调味即可。

♥ TIPS 贴心小提示

这道菜可以开胃消食，去滞消积，增进食欲。

荠菜豆腐羹

● **材料** 荠菜、嫩豆腐各200克，鸡蛋2个。

● **调料** 水淀粉、盐、鸡精、香油各适量。

做法

1. 荠菜洗净，去根，切成碎末；豆腐洗净，切丁；鸡蛋取蛋清搅匀。

2. 锅置火上，加水烧开，放入嫩豆腐、适量水，烧开后淋入蛋清。

3. 再次沸腾时放入荠菜末，用水淀粉勾芡，放入盐、鸡精，淋上香油即可。

♥ TIPS
贴心小提示

做这道菜时，最好用嫩豆腐，这样可以使豆腐均匀散开，使羹口感更好。荠菜食用前最好在清水中泡上2个小时。

金丝蜜枣银耳羹

材料 金丝蜜枣5枚、银耳10克、红枣10枚。

调料 姜片、冰糖各适量。

做法

1.蜜枣、红枣去核，备用；银耳用温水浸软，洗净，沥干水分。

2.蜜枣、红枣、银耳、姜片一起放入锅内，放入水至八分满，盖上盖用猛火炖

1小时，将冰糖捣碎放入锅中，再炖至冰糖融化即可。

♥ TIPS 贴心小提示

1.这道羹应趁热饮用，可以补脾和胃、益气生津、补血养血。

2.因为蜜枣、红枣已经有糖分，如果不喜欢吃得太甜，可以不加冰糖。

杏仁润肺羹

材料 杏仁20克、蜜枣4枚、猪肺200克。

调料 油、盐各适量。

做法

1.杏仁去皮、尖；猪肺洗净，切成小块。

2.锅置火上，放油烧热，把猪肺炒熟。

3.在锅中加适量开水，放入蜜枣煲1~2小时，加盐调味即可。

♥ TIPS 贴心小提示

这道羹可以补益肺气、止咳化痰，适合天气干燥时或肺气弱、易咳嗽的小孩平时饮用，也可用于肺炎恢复期调补身体。

杏仁羹

材料 去皮甜杏仁30克、大米50克。

调料 白糖。

做法

1.将去皮甜杏仁漂洗干净,研成泥状；大米洗净,用水浸泡2小时。

2.锅置火上,倒入适量清水,放入杏仁泥和大米用大火煮沸后,再转小火煮至

粥烂,加入白糖搅拌均匀即可食用。

♥ TIPS
贴心小提示

甜杏仁有润肺、止咳、滑肠之功效,适合干咳无痰、肺虚久咳、便秘等症；苦杏仁对因伤风感冒引起的多痰、咳嗽气喘、大便燥结等症状疗效显著。

韭菜粥

材料 大米100克、韭菜50克。

做法

1.大米洗净；韭菜洗净切碎。

2.大米倒入锅内,加水煮沸,再加入韭菜,同煮成粥即可。

♥ TIPS
贴心小提示

1.韭菜有助阳的功效,且有调味杀菌作用,春天第一茬的韭菜味道特别好。

2.因其性热助阳,故阴虚体质或身有疮疡者不宜食用。

芹菜粥

●材料 芹菜 150 克、大米 100 克。

做法

1.芹菜连根洗净;大米洗净。

2.芹菜放入锅内加水熬煮,取汁与大米同煮成粥即可。

♥ TIPS
贴心小提示

春季肝阳易动,常使人肝火上升,发生头痛、眩晕、目赤等症状,故春季常吃些芹菜粥,对降低血压、减少烦躁有一定好处。春季也是小儿麻疹多发季节,若能及早发现,煮芹菜给小儿食用,可以达到解表透疹的目的。

红枣粥

●材料 红枣 50 克、大米 100 克。

做法

1.红枣洗净;大米洗净。

2.上述材料放入锅内,加水煮开,再小火煮至为粥即可。

♥ TIPS
贴心小提示

1.粥可以根据口味加蜂蜜、白糖来调味。

2.红枣能养血安神,适用于久病体虚、脾胃功能虚弱者服用,对儿童的生长发育亦有益处。

薄荷粥

● **材料** 薄荷 15 克、大米 50 克。

● **调料** 冰糖适量。

:: **做法**

1. 薄荷洗净；大米洗净。

2. 锅中加适量水，放入薄荷，煎煮 15 分钟，取汁与大米同煮至成粥，待粥将成时加入适量冰糖，再煮沸即可。

♥ TIPS
贴心小提示

中年人春季吃些薄荷粥，可以清心怡神、疏风散热、增进食欲、帮助消化。

胡萝卜粥

● **材料** 胡萝卜 400 克、大米 150 克。

:: **做法**

1. 胡萝卜洗净切碎；大米洗净。

2. 锅内加水适量，加水及胡萝卜、大米同煮成粥即可。

♥ TIPS
贴心小提示

1. 胡萝卜含有丰富的胡萝卜素，人体摄入后，可转变成维生素 A，能保护眼睛和皮肤。患有皮肤粗糙和夜盲症、眼干燥症及小儿软骨症的人，可以多吃些。

2. 平素脾虚泄泻者要慎用。

绿豆汤

材料 绿豆300克。

:: 做法

1.绿豆洗净，控干水分。

2.绿豆倒入锅中，加开水，开水的用量以没过绿豆2厘米为好，煮开后改用中火。

3.当水分要煮干时(注意防止粘锅)，加入大量的开水，盖上锅盖，继续煮20分钟至绿豆酥烂即可。

❤ TIPS
贴心小提示

可以将绿豆连皮磨碎，再将牛奶慢慢倒入，并混合搅拌成糊状做面膜使用。敷30分钟后面膜里的精华被皮肤吸收，即可将面膜洗去。绿豆面膜不宜在脸上停留时间过长，否则易堵塞毛孔。

七样止渴汤

材料 金银花、白菊花、玫瑰花各10克，麦冬、五味子、玉竹各9克，酸梅50克。

调料 冰糖适量。

:: 做法

1.金银花、白菊花、玫瑰花、麦冬、五味子、玉竹洗净。

2.酸梅加水煮烂，再将上述材料入锅并加水煮沸，加入适量冰糖煮化即可。

❤ TIPS
贴心小提示

此汤可以晾凉后饮用，饮后感觉清凉无比，有开胃、生津、止渴的作用。

荷花冬瓜汤

材料 鲜荷花2株、鲜冬瓜500克。

调料 盐适量。

做法

1. 鲜荷花洗净；冬瓜洗净，去皮，切片。

2. 荷花和冬瓜片放入锅内，加水同煮，汤成后去掉荷花，加少许盐调味即可。

♥ TIPS
贴心小提示

这道汤对夏季低热、口渴心烦疗效较好。但是新鲜荷花在超市比较难买，可以到批发市场购买。

银耳明目汤

材料 鸡肝50克、银耳10克、枸杞5克、茉莉花10朵。

调料 料酒、姜汁、盐、味精各适量。

做法

1. 鸡肝洗净，切片；银耳泡发。

2. 锅内倒水，加入枸杞烧沸，放入料酒、姜汁、盐，待鸡肝熟后，加味精调味，撒入茉莉花即可。

♥ TIPS
贴心小提示

夏季是红眼病流行的季节，如果经常服用银耳明目汤，会有很好的预防作用。

鹌鹑祛湿汤

材料 鹌鹑4只，薏米、百合各50克。

调料 姜、盐各适量。

做法

1. 鹌鹑处理后洗净；薏米、百合洗净；姜洗净，切片。

2. 处理好的材料一同放入沙锅中，加适量清水煲1小时30分钟加盐调味即可。

♥ TIPS
贴心小提示

鹌鹑肉含有多种无机盐、卵磷脂、激素和多种人体必需的氨基酸，可以补五脏、益精血、温肾助阳，具有补身健体的作用。

枸杞玉米羹

材料 鲜嫩玉米粒200克、枸杞10克、青豆20克。

调料 水淀粉、白糖各适量。

做法

1. 枸杞洗净，泡软；玉米粒清洗干净；青豆洗净。

2. 锅置火上，加入清水，下入玉米粒、青豆，烧至玉米粒熟烂后，再下入白糖、枸杞煮约5分钟，用水淀粉勾芡即可。

♥ TIPS
贴心小提示

玉米、青豆均含有丰富的植物蛋白，二者同食，蛋白质的吸收利用率更高。

草原牛奶护肤羹

材料 鲜牛奶500克、猕猴桃1个、葡萄30克、西瓜50克、橙子60克、麦片20克、玉米粒50克。

调料 白糖、水淀粉、蜂蜜各适量。

:: **做法**

1. 猕猴桃、葡萄、西瓜、橙子分别切成丁备用。

2. 鲜牛奶到入锅中，加白糖搅拌，置于火上，放入玉米粒和麦片，边搅动边用水淀粉勾芡，调成羹状。

3. 出锅后将切好的水果丁摆在上面，滴入少许蜂蜜即可。

菠菜羹

材料 菠菜300克、火腿丁200克、玉米粒200克、鸡蛋1个。

调料 高汤、盐、味精、香油、水淀粉、胡椒粉各适量。

:: **做法**

1. 菠菜洗净，用开水烫软，放入冷水中漂凉后取出，切细末；玉米粒洗净。

2. 高汤放入锅内烧开，加入玉米粒、菠菜、火腿丁稍煮片刻，加入盐、味精调味。

3. 用水淀粉勾芡，最后淋入蛋清，撒入胡椒粉，淋入香油即可。

♥ **TIPS** 贴心小提示

菠菜用开水烫后，可以去除草酸，在凉水中漂洗后可以使颜色更漂亮。

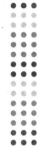

皮蛋瘦肉粥

●**材料** 猪瘦肉、大米各50克，松花蛋1个。

●**调料** 盐、味精、清汤各适量。

做法

1.猪瘦肉洗净，放入锅中，用大火煮沸，再转用小火煮20分钟，撇去浮沫，捞出猪肉切成小丁；松花蛋去壳切成末；大米淘洗干净。

2.大米放入锅中，加入清汤和适量水，大火烧开，转用小火熬煮成稀粥，粥稠后加入盐、味精、猪肉丁和松花蛋末，稍煮即可。

♥ TIPS
贴心小提示

煮粥时，一定要先大火煮开，然后转用小火，这样熬出来的粥颗粒分明，香甜。这道粥可以除烦清热、滋阴清热、益血添精。

西瓜皮粥

●**材料** 西瓜皮200克、大米100克。

●**调料** 白糖适量。

做法

1.西瓜皮少许，削去外表硬皮，切成丁；大米淘洗干净。

2.沙锅置火上，倒入水，加入大米、西瓜皮丁同煮成粥，加入适量白糖即可。

♥ TIPS
贴心小提示

如果光喝粥，营养难免不够全面，所以建议喝粥时搭配一个荷包蛋或是一份肉松，素食者则选择吃一块豆腐乳或豆干等豆制品，摄取蛋白质。不过豆腐乳要尽量少吃，豆腐乳营养价值低，而且太咸，高血压患者最好不食用。另外，一些罐头加工食品可能会添加防腐剂，常吃容易伤害肝、肾。

莲子大米粥

● **材料** 莲子50克、大米100克。

做法

1.莲子洗净泡开；大米洗净。

2.莲子和大米入锅，煮至莲子熟烂即可。

💚 **TIPS**
贴心小提示

盛夏常因暑热侵扰、心火上窜影响睡眠，而莲子粥擅长除烦热、清心火、养心安神，对于夏季暑热、心烦不眠，具有较好的治疗作用。

芦根粥

● **材料** 芦根30克、大米50克。

做法

1.大米淘净；芦根洗净。

2.芦根放入锅内，加清水适量，用大火烧沸，转用小火煮15分钟，去渣留汁，待用。

3.把大米、芦根汁一同入锅，煮成粥即可。

💚 **TIPS**
贴心小提示

这道粥有清热、止呕之功效，主治小儿胃热而引起的呕吐等症。芦根气清、味甘淡，用来煮粥，没有药味，更适宜孩子在夏天食用。

荷叶粥

材料 鲜荷叶1张、大米100克。

调料 冰糖少许。

做法

1.大米淘净；鲜荷叶洗净，切成3厘米见方的块。

2.荷叶入锅，加清水适量，大火烧沸，转用小火煮10~15分钟，去渣留汁。

3.大米、荷叶汁入锅，加冰糖、适量清水，用大火烧沸，转用小火煮至米烂成粥即可。

♥ TIPS
贴心小提示
这道粥有解暑热的作用，还可以减肥。有胸闷烦渴，小便短赤及有高血压、高血脂症状的人也可以经常喝。

藿香粥

材料 藿香15克（鲜藿香30克）、大米100克。

做法

1.藿香洗净，入锅，煎5分钟，取汁。

2.大米淘净，入锅，加水适量，用大火煮沸，再用小火煮成粥，加入藿香汁，再煮沸即可。

♥ TIPS
贴心小提示
1.如果出现发热、头昏头痛、呕吐、拉肚子，可以试试这道粥。

2.一碗略稠的粥，大约只是半碗米饭的量，如果只吃粥，则建议一餐吃2~3碗，不然很容易不到中午就感觉饿。

芝麻木耳汤

材料 黑芝麻10克、水发木耳50克。

调料 白糖适量。

做法

1. 黑芝麻洗净，炒熟；木耳温水泡发好，洗净，撕成片状。

2. 黑芝麻和木耳一起放在锅里，加水煮，煎煮好加一点白糖即可。

♥ TIPS
贴心小提示

芝麻具有良好的润燥作用，尤适用于大便干燥者。黑芝麻还有润发、乌发的作用。

蛋奶鲫鱼汤

材料 鲫鱼1条、蛋奶20克。

调料 油、姜片、葱花、盐、鸡精各适量。

做法

1. 鲫鱼剖腹后，清洗干净待用。

2. 锅置火上，放油烧至三成热，把鲫鱼过油，去除鲫鱼的腥味。

3. 加入适量水和姜片、葱花、盐、鸡精，大火烧开，小火清炖40分钟，起锅时加入少许蛋奶即可。

♥ TIPS
贴心小提示

加蛋奶能使汤变得白皙浓稠，口感更佳。

枸杞菊花排骨汤

材料 排骨300克，枸杞、菊花各适量。

调料 姜片、盐各适量。

做法

1.排骨洗净，切成约3厘米大小的块备用；枸杞、菊花用冷水洗净。

2.锅中倒水烧开，加入排骨、姜片及枸杞，大火煮开后，改用中火煮约30分钟，菊花在汤快煲好前放入。

♥ TIPS
贴心小提示

菊花放入多少应因人而异，因为菊花带苦味，如果有小孩吃，可少放一点儿。

木瓜煲生鱼

材料 生鱼500克、木瓜300克、红枣6枚。

调料 姜片、盐各适量。

做法

1.生鱼剖洗干净，去净鱼鳞、鱼鳃，抹干鱼身后，将鱼身煎至微黄色，以祛腥味；木瓜去皮、去子，洗净，切块；红枣去核，洗净。

2.将以上材料和姜片一齐放入已经煲滚了的清水中，继续用中火煲2小时左右，加少许盐调味即可。

♥ TIPS 贴心小提示

木瓜有滋养、消食、杀虫的作用；红枣有补血、养心安神的作用；生姜有温胃、散寒的作用；生鱼具有促进伤口愈合、补益身体、排毒生肌的作用。这道汤还有健脾开胃、滋润养颜、补益身体的作用。

黑木耳红枣汤

● 材料 黑木耳50克、红枣8枚、猪里脊肉200克。

● 调料 葱、姜、花椒、盐、鸡精、香油各适量。

∷ 做法

1. 黑木耳、红枣洗净；猪里脊肉洗净，切成小块。

2. 将全部材料一起放入高压锅，加入葱、姜、花椒、盐、鸡精、香油盖上锅盖，把压力调到肉类档，保压定时12分钟即可。

♥ TIPS
贴心小提示

这道汤滑爽香甜，既有保健作用，又有美容效果，还能延缓衰老。黑木耳具有降血压、降血脂作用，对改善心、脑血管循环系统大有好处。

番茄豆腐鱼丸汤

● 材料 番茄2个、豆腐200克、鱼肉200克。

● 调料 葱、盐各适量。

∷ 做法

1. 番茄洗净，切块；豆腐切块；葱洗净，切葱花。

2. 鱼肉洗净，控干水后剁烂，加入盐、适量水，放入葱花搅匀，做成鱼丸。

3. 豆腐放入锅内，加适量清水煮沸后，放入番茄，再煮沸后，放入鱼丸煮熟，加适量盐即可。

♥ TIPS
贴心小提示

这道汤有健脾、清胃、润燥的作用，与番茄合用，更能清润生津。

山药百合鸡肉汤

材料 山药、百合各30克，带骨鸡肉300克。

调料 姜片、葱花、盐、料酒、味精各适量。

做法

1.将带骨鸡肉洗净，切成小块。

2.将鸡块与山药、百合一起放入沙锅中，加入适量水及姜片、料酒，大火烧至汤沸，转用小火炖1小时左右，加入少许葱花、盐、味精调味即可。

♥ TIPS
贴心小提示

此汤润肺止咳、清心安神、补肾固精、润肠通便，适合肺燥咳嗽、慢性支气管炎、妇女更年期综合征患者及年老体弱者食用。也适合在天气干燥的秋季使用。

黑芝麻猪肉汤

材料 瘦猪肉250克、黑芝麻60克、胡萝卜40克。

调料 盐、葱花、姜片、香油各适量。

做法

1.黑芝麻用布包好，洗净；瘦猪肉洗净，并切成小块；胡萝卜洗净，切成小块。

2.沙锅置火上，倒入清水，放入猪肉、胡萝卜块、黑芝麻煲50分钟，放入盐、葱花、姜片和香油即可。

龟肉百合汤

材料 龟肉150克，百合、胡萝卜各50克。

调料 香油、盐、姜丝、葱花各适量。

做法

1. 龟肉洗净，切成小块，放入沙锅内。

2. 胡萝卜洗净后切成小块，同龟肉先煲30分钟，放入百合，再煮20分钟，加入香油、盐、姜丝、葱花即可。

韩式牛尾汤

材料 牛尾800克，洋葱1/2个，番茄1个，红枣15枚，枸杞、麦冬各15克。

调料 姜片、姜块、盐、胡椒粉各适量。

做法

1. 牛尾洗净，切成小段，在加入姜片的沸水中焯一下捞出备用。

2. 沙锅内倒水，加入枸杞、麦冬、姜块，水开后加牛尾，中小火炖煮3小时左右，慢慢撇去上面的浮沫。

3. 待炖煮到牛尾块快要烂时加入红枣、番茄块再炖一会儿，炖到牛肉软嫩而不离骨时捞出。

4. 牛肉加盐、胡椒粉、葱、蒜调味。

5. 把汤再熬一次，并放入加佐料的牛尾煮一会儿，将牛肉连汤盛入碗中即可。

海参木耳猪肉汤

材料 海参、瘦猪肉、黑木耳各100克，银耳50克，红枣40克。

调料 香油、盐、姜丝各适量。

做法

1.海参泡发，洗净，切成薄片；猪肉洗净，切成小块；黑木耳和银耳泡发，洗净；红枣洗净。

2.将处理好的材料一同放入沙锅内煲汤，煲30~50分钟后，放入盐、姜丝煮5分钟，淋入香油即可。

❤ TIPS
贴心小提示

木耳含铁量较高，有补血作用，还有一定的抗肿瘤作用；红枣是补血佳品，可治血虚、血小板缺少等症。二者搭配，补血效果更明显，尤其适合女性食用。黑木耳要用温水泡发，这样比较快。

香蕉西米羹

材料 香蕉5只、西米75克、玫瑰花瓣3瓣、糖桂花2克。

调料 白糖、水淀粉各适量。

做法

1.西米盛入碗中用冷水浸泡；香蕉去皮，切片待用。

2.沙锅洗净加水煮沸，倒入西米，小火煮至无白心时加白糖，沸起撇去泡沫。

3.用水淀粉勾薄芡，下香蕉，搅匀起锅盛入汤碗，撒上玫瑰花瓣和糖桂花即可。

冬瓜胡萝卜羹

材料 胡萝卜200克、冬瓜600克、冬菇5朵、瘦肉150克。

调料 姜、盐各适量。

做法

1.胡萝卜去皮洗净,切块;冬瓜洗净,切厚块;冬菇浸软后,去蒂洗干净;瘦肉洗干净,汆烫后再洗干净;姜洗净切片。

2.煲滚适量水,放入胡萝卜、冬瓜、冬菇、瘦肉、姜片,烧开后以小火煲2小时,加盐调味即可。

沙参银耳粥

材料 沙参、银耳、粟米各50克。

调料 冰糖10克。

做法

1.沙参、银耳、粟米分别洗净。

2.沙参放入陶器罐内,放入清水,先煮30~40分钟,挑去沙参留汁备用。

3.放入银耳、粟米,再煮1小时放入冰糖,再熬10~15分钟即可。

♥ TIPS 贴心小提示

银耳一定要把根部剪掉,这样才容易煮烂,而且一定要小火慢慢煮,直到煮烂煮化为止,这样胶质才会全部被煮出来。

枸杞猪肝粥

材料 枸杞10粒、红枣6枚、猪肝40克、圆糯米200克、高汤800毫升。

调料 盐、味精各适量。

做法

1. 枸杞、红枣洗净；猪肝洗净后切小块；圆糯米洗净后用水浸泡1小时。

2. 锅置火上，放入高汤、圆糯米，大火煮开后转小火煮30分钟。

3. 将猪肝、红枣、盐放入粥中，煮开后转小火熬煮30分钟，加入味精调味即可。

♥ TIPS 贴心小提示

猪肝明目，枸杞润肤，这是很传统的一道秋日美容养颜粥。

杏仁川贝百合粥

材料 杏仁、百合各30克，川贝母15克、大米50克。

做法

1. 杏仁、川贝母、百合、大米洗净，大米用清水浸泡。

2. 杏仁、川贝母、百合装入已消毒的纱布袋内，先煮1小时，捞去药渣后放入大米，再煮30分钟即可。

♥ TIPS 贴心小提示

杏仁富含蛋白质、粗脂肪、糖类，还含有磷、铁、钾等无机盐类及多种维生素，是滋补佳品。百合性平，含多种生物碱，具有润肺清热、益气安神等功效，在天气干燥的秋季可以多吃些杏仁和百合。

杂米八宝粥

材料 小米、高粱米、薏米、红豆、绿豆、莲子各30克，龙眼6颗，花生仁10粒，清水1200毫升。

调料 冰糖、蜂蜜各适量。

做法

1.将所有材料洗净，小米、高粱米用水浸泡30分钟，薏米、莲子、绿豆用水浸泡2小时，红豆用水浸泡4小时。

2.锅置火上，放入清水、莲子、红豆、薏米、绿豆，大火煮开后转小火熬煮30分钟。

3.将小米、高粱米、花生仁、龙眼、冰糖放入粥中煮30分钟，熄火，晾凉后浇上蜂蜜即可。

♥ TIPS
贴心小提示

高粱米口感不好，可以适量少放一些。秋天多吃杂米，对降低胃火有好处。

白萝卜益气粥

材料 白萝卜1个、枸杞10粒、大米200克、清水800毫升。

调料 盐适量。

做法

1.白萝卜、枸杞分别洗净；大米洗净后用水浸泡30分钟。

2.锅置火上，放入清水、白萝卜，大火煮开后转中火，将白萝卜煮烂熟后熄火，在锅中连汤将白萝卜捣碎，去渣取汁。

3.将白萝卜汁、大米放入锅中，大火煮开转小火熬煮至黏稠，加入盐、枸杞，煮沸即可。

♥ TIPS
贴心小提示

1.白萝卜有"小人参"的称号，秋天多吃能消食利气。

2.取白萝卜汁时可用细筛过一遍，再用细纱布挤压剩余残渣，避免浪费汁液。

芝麻花生猪肝山楂粥

材料 芝麻、花生仁、大米各50克，猪肝、山楂各40克。

做法

1.花生仁洗净；芝麻装入袋内，洗净；猪肝洗净，切片；山楂、大米分别洗净。

2.将芝麻放入陶器罐内，注入清水，先煮1小时，待花生仁熟后，放入大米煮30分钟后，再放入猪肝、山楂，煮5~10分钟即可。

山楂红枣莲子粥

材料 山楂肉、大米各50克，红枣、莲子各30克。

做法

1.山楂肉、红枣、莲子洗净泡开；大米洗净。

2.山楂肉、红枣、莲子放入陶器罐内，放入清水，莲子煮至熟烂后，放入大米，待成粥后即可。

♥ TIPS

贴心小提示

莲子富含蛋白质、脂肪、淀粉，具有养心、益肾、补脾等作用。将莲子心用开水浸泡饮用，可预防口干舌燥、嗓子疼痒、声音嘶哑。

萝卜羊排骨汤

材料 羊排骨700克、白萝卜500克。

调料 葱段、姜片、盐、胡椒粉、香菜各适量。

做法

1.羊排骨洗净,剁成大块,再洗净后用冷水煮开,去掉表面的浮沫;白萝卜洗净,切厚片。

2.锅中放入葱段和姜片,放入羊排骨,小火炖煮,大约1小时后加入萝卜片继续炖煮约45分钟。

3.煮至萝卜片变得透明,加盐、胡椒粉和香菜调味即可。

♥ TIPS
贴心小提示
白萝卜洗净切片或丝,加糖食用有降气化痰平喘的作用,适合患有急慢性气管炎或咳嗽痰多气喘者食用。

桂枣山药汤

材料 红枣12枚、山药300克、桂圆肉20克。

调料 白糖适量。

做法

1.红枣洗净,泡软;山药去皮,洗净,切丁,一同放入清水中烧开,煮至熟软,放入桂圆肉及白糖调味。

2.待桂圆肉煮至散开即可。

♥ TIPS
贴心小提示
山药具有补脾和胃之功能;桂圆、红枣有益气血、健脾胃的作用。

枸杞排骨汤

材料 排骨 300 克、枸杞适量。

调料 姜片、盐各适量。

∷ 做法

1. 排骨洗净，切成约 3 厘米大小的块备用；枸杞用冷水洗净。

2. 锅中倒入水烧开，加入排骨、姜片及枸杞，大火煮开后，改用中火煮约30分钟，在汤快煲好前放入盐调味即可。

♥ TIPS
贴心小提示
枸杞有滋补肝肾、明目的功效，非常适宜冬季食用。

姜母老鸭汤

材料 老鸭1只、老姜母200克、黄芪 15 克、枸杞 15 克。

调料 葱段、桂皮、黄酒、盐、鸡精、清汤各适量。

∷ 做法

1. 将老鸭摘净杂毛，洗净斩成片状，沥干水分；老姜母刷洗干净，用刀背拍松；黄芪、枸杞洗净备用。

2. 干锅烧热，放入鸭块翻炒，炒后捞出，将鸭油控干净。

3. 锅内倒适量清汤，放入葱段、桂皮、黄芪、枸杞、鸭肉、老姜母，大火烧开后改小火慢煲2小时，再加盐和鸡精调味。

♥ TIPS **贴心小提示**
老鸭汤可疏通血脉、补益肾脏。冬季人体血脉循环不畅，末梢血管不能得到有效循环，容易手脚冰凉，经常食用可促进血液循环。

紫苏生姜红枣汤

材料 鲜紫苏叶10克、生姜3块、红枣15克。

调料 盐适量。

做法

1.红枣洗净，去核；姜洗净，切片；鲜紫苏叶洗净，切成丝。

2.鲜紫苏叶丝与姜片、红枣一起放入盛有温水的沙锅里用大火煮，锅开以后改用小火炖30分钟。

3.捞出紫苏叶、姜片，继续用小火煮15分钟，加盐调味即可。

TIPS 贴心小提示

这道汤具有暖胃散寒、助消化行气的作用，适合冬季食用。

胡椒猪肚汤

材料 白胡椒30～50粒、猪肚1副。

调料 盐、料酒、味精各适量。

做法

1.猪肚洗净，用开水焯烫，洗去浮沫，切丝。

2.锅内倒水，放入猪肚丝。

3.锅内加入白胡椒，煲2个小时左右，汤稠肚烂时，加入盐、料酒、味精即可。

TIPS 贴心小提示

1.猪肚可以加入盐、醋一起搓洗，并用开水烫洗。

2.这道汤可在饭前饮用。胡椒性温热，有温中散寒作用；猪肚有健胃养胃的功效。

川芎白芷炖鱼头

● 材料 川芎6克、白芷9克、鳙鱼头200克。

● 调料 盐适量。

∷ 做法

1.川芎和白芷洗净，切片；鱼头洗净，放入炖盅中。

2.炖盅中加入川芎、白芷，加适量水，炖熟，加盐调味即可。

♥ TIPS 贴心小提示

川芎用量不宜太多；若月经过多或阴虚火旺的头晕、头痛者则不宜食用。

杏仁川贝炖鹧鸪

● 材料 杏仁9克、川贝6克、鹧鸪4只(净约900克)、瘦猪肉100克、干贝3克。

● 调料 姜片4片、盐适量。

∷ 做法

1.鹧鸪、瘦猪肉洗净焯水，切块。

2.鹧鸪块、瘦肉块、姜片、干贝、杏仁、川贝放入炖盅加水加盖，隔水大火炖20分钟，转小火炖2个小时加盐即可。

♥ TIPS

贴心小提示

1.杏仁能润肺化痰、止咳平喘；川贝能润肺化痰、清热止咳；鹧鸪补中消痰、开胃和中。

2.这道汤是清润肺燥的食疗佳品，可用于慢性支气管炎、小儿百日咳等症。

冬虫草炖水鸭

材料 冬虫草25克、水鸭1只、无花果2粒、陈皮1/4片。

调料 姜2片、盐适量。

做法

1. 冬虫草洗净，水鸭洗干净，放入滚水内煮5分钟，取出。

2. 陈皮浸软刮去瓤。

3. 锅内倒水，烧开，将冬虫草、水鸭、无花果、陈皮、姜片加入煲滚，改小火煲2小时30分钟，加盐调味即可。

玉竹凤爪汤

材料 凤爪12只，排骨500克，莲子100克，百合、怀山片、芡实各40克，玉竹20克，红枣6枚。

调料 姜片、盐各适量。

做法

1. 怀山片、芡实、玉竹洗净。

2. 百合、莲子分别用清水浸40分钟。莲子去心，与百合分别放入开水中煮5分钟，取出洗一下。

3. 凤爪、排骨洗净，放入滚水中煮5分钟，取出洗净。

4. 另用锅加适量水煲滚，放入凤爪、排骨、红枣、姜片、玉竹、怀山片及芡实，煲开后，然后调慢火煲2小时，下百合、莲子煮至熟烂加盐调味即可。

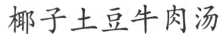

椰子土豆牛肉汤

●**材料** 椰子、洋葱、胡萝卜各1个，土豆2个，牛肉500克。

●**调料** 姜块、盐各适量。

∷ 做法

1.将椰子肉切块。

2.土豆、洋葱和胡萝卜洗净，去皮，切块。

3.洗干净牛肉，放入滚水内焯一下，再冲洗干净，然后切厚块。

4.锅内倒适量水，烧滚，放入椰子肉、土豆、洋葱、胡萝卜、牛肉和姜块，水滚后改慢火煲约2小时，加盐调味即可。

胡辣全羊汤

●**材料** 胡椒50克，小干红辣椒10个，羊肋肉300克，羊心、羊肝、羊肾、羊肚各100克。

●**调料** 葱段、姜片、黄酒、盐各适量。

∷ 做法

1.将羊肋肉、羊心、羊肝、羊肾、羊肚洗净焯水，晾凉后切成厚片；胡椒用纱布袋装好；辣椒去蒂洗净备用。

2.沙锅内倒入清汤，放入全部材料，加葱段、姜片、黄酒等调料，大火烧开转小火焖炖1小时后放入盐，捞出胡椒袋即可。

💟 **TIPS**
贴心小提示
胡椒、辣椒辛辣芳香，能扩张毛细血管，增强血液循环。

红小豆鲤鱼汤

材料 红小豆 150 克、鲤鱼 1 条。

调料 葱段、姜块、料酒、盐各适量。

做法

1. 鲤鱼宰杀、去内脏，洗净后，切大块；红小豆洗净，浸泡。

2. 锅内加入清水，放入红小豆、鱼块、葱段、姜块一同煲汤，汤成时加入料酒、盐调味即可。

TIPS 贴心小提示

煲汤时要用大火先烧开，然后转小火煮，这样才能煲出颜色漂亮的奶白汤。

腔骨菜心汤

材料 粉条 100 克，油菜心、腔骨各 300 克。

调料 黄酒、醋、盐、鸡精各适量。

做法

1. 将腔骨洗净砍成几块，焯水过凉；油菜心洗净焯水过凉，粉条剪断用温水泡软。

2. 锅内倒适量清汤，放腔骨、黄酒、醋大火烧开，小火焖煮 1 小时，放粉条煮 5 分钟后，放入油菜心，加入适量的盐和鸡精即可。

TIPS 贴心小提示

骨头里含有大量钙质，煮食时加适量的醋，可以促进钙质分解到汤中。

顺气减肥汤

●**材料** 鸡胸骨1副、蛤蜊100克、竹笋300克、人参须25克。

●**调料** 盐、味精各适量。

∷ 做法

1.鸡骨烫过之后，将血水及浮油捞干净，将人参须、竹笋、鸡骨一起放入锅中，炖至水开。

2.放入蛤蜊，炖至蛤蜊开口，加盐、味精调味即可。

♥ TIPS
贴心小提示
此汤可以促进油脂排泄，帮助体内气血循环，油脂跟脂肪会顺利地经由新陈代谢排解。

黑豆乌枣鸡汤

●**材料** 黑豆50克、黑枣6枚、乌鸡1/2只。

●**调料** 姜片、盐各适量。

∷ 做法

1.黑豆、黑枣洗净；乌鸡洗净，剁成块。

2.在锅内加清水1200毫升，放入乌鸡块和姜片，煮沸后撇去浮沫，加入黑豆、黑枣一起炖煮1小时30分钟，加盐调味即可。

♥ TIPS
贴心小提示
这道汤中黑豆能活血、解毒、利尿；黑枣含有丰富的钙、铁、蛋白质、糖类和多种维生素，有很好的补血功效。

生姜当归羊肉汤

材料 当归6克、羊肉100克。

调料 生姜、黄酒、葱、盐各适量。

:: **做法**

1.羊肉洗净，切成小方块；当归、生姜洗净切片。

2.羊肉、当归、姜片、黄酒、葱、盐放入锅内，加水1000毫升，用大火烧沸，再用小火煮50分钟即可。

♥ TIPS
贴心小提示

这道汤有祛寒宣脾、滋补气血的功效，特别适用于体虚怕冷、血虚寒闭型冠心病患者冬季食用。

党参附子狗肉汤

材料 党参30克、附子20克、狗肉500克。

调料 生姜、盐、鸡精各适量。

:: **做法**

1.狗肉洗净，切小块。

2.狗肉与党参、附子、生姜同放入沙锅内，加适量清水，煮到狗肉烂熟，去附子，加少量盐、鸡精调味即可。

♥ TIPS
贴心小提示

这道汤中党参补中益气，附子温中补阳，狗肉补中益气、温肾助阳，非常适宜脾肾阳气不足、畏寒肢冷者食用。

美味藕汤

材料 莲藕 500 克、红枣 4 枚、章鱼干 1 只、绿豆 50 克、猪肉 500 克。

调料 盐、酱油各适量。

 做法

1.红枣去核，和绿豆一起洗净，用清水泡浸片刻；章鱼干洗净，用温开水浸泡 30 分钟；莲藕洗净去节，切成块状；猪肉洗净，切块。

2.上述材料一起放入瓦煲，先用大火烧开，然后用小火煲 2 小时 30 分钟，然后捞起莲藕块、猪肉块，拌入酱油搅匀。汤水中调入适量盐即可食用。

♥ TIPS
贴心小提示

生藕具有清热解渴、止血化痰的功效。藕煮熟后，性由凉变温，对脾胃有益，有养胃滋阴、益血止泻的功效。藕和猪肉同吃，可以健胃，强壮身体，冬天可以多吃。

苁蓉羊肉羹

材料 肉苁蓉 15 克、羊肉 100 克、大米 150 克。

调料 葱花、生姜、盐各适量。

做法

1.肉苁蓉、羊肉洗净后切碎，再用沙锅煮肉苁蓉取汁，去渣；生姜洗净切片。

2.放入羊肉和适量水与大米同煮，待沸后加入盐、姜片、葱花即可。

♥ TIPS
贴心小提示

肉苁蓉是常用来壮肾阳的中药。明朝李时珍所著的《本草纲目》中，亦根据民间经验，记述了这一粥食，并认为它能"补益劳伤"。

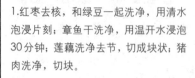

鹿角胶羹

●材料 鹿角胶20克、大米100克、生姜3片。

∷ 做法

1.大米洗净，浸泡。

2.锅内倒水，烧开，放入大米，待水烧沸后，再加入鹿角胶、生姜同煮，熟后即可食用。

♥ TIPS 贴心小提示

1.鹿角胶是鹿的头角煎熬成的胶块，有补血益精的功效。

2.冬季是中老年人进补的大好季节。因为中老年人，特别是老年人，大多因肾虚而导致性功能衰减，故冬季可选用一些壮益肾阳、滋补肾阴的药粥来补肾滋阴。有阳痿、早泄、遗精的中老年男子，及有白带过多、阴部冷感、腰膝酸痛、困倦乏力等症的中老年妇女，可用此粥。

羊肉羹

●材料 羊肉100～150克、大米150克、胡萝卜1个。

●调料 葱白、盐各少许。

∷ 做法

1.羊肉洗净，切成小块；胡萝卜洗净，切成两大块。

2.羊肉和胡萝卜入锅，加清水同炖，除去膻味，待羊肉将熟时，取出胡萝卜不要。

3.大米淘洗干净，放入羊肉锅里，加入葱白煮成稀粥，加盐调味即可。

♥ TIPS 贴心小提示

1.此粥具有助元阳、补精血、益虚劳之功效，可以早、晚餐食用。

2.适用于肾虚劳损、腰背酸痛、足膝萎弱、形瘦怕冷的虚寒症。

3.热盛之症，如牙痛、喉痛、便秘、尿痛等不宜食用。

滋肾双耳羹

● **材料** 银耳、黑木耳各10克，大米50克。

● **调料** 冰糖适量。

做法

1.银耳、黑木耳温水泡发，除杂质并洗净后放入碗内。

2.碗内加冰糖、大米，加入半碗水，再隔水蒸煮成粥即可。

陈皮花生粥

● **材料** 花生仁、大米各50克，陈皮15克。

做法

1.大米洗净，浸泡2小时；花生洗净沥干。

2.锅放火上，倒入适量清水煮开，放入大米、花生仁，煮至五成熟时放入陈皮，小火煮成粥即可。

❤ TIPS
贴心小提示

1.陈皮可顺气健胃、化痰止咳。适用于脾胃气滞、脘腹胀满、消化不良、食欲不振、恶心呕吐、胸膈满闷等。

2.花生味甘性平，入脾、肺经。有补中益气、润肺和胃等功效。花生所含脂肪酸大部分为不饱和脂肪酸，这类不饱和脂肪酸具有降低胆固醇的作用，还能预防中老年人动脉粥样硬化和冠心病的发生。

肉桂糖粥

材料 肉桂 3 克、大米 100 克。

调料 红糖适量。

∷ 做法

1. 肉桂洗净，入锅加水煎汁，去渣待用。

2. 将大米淘洗干净，加适量水煮粥。

3. 待粥煮沸后，调入肉桂汁和红糖，同煮为稀粥。分早、晚温热服食。

❤ TIPS 贴心小提示

1. 此粥具有补元阳、暖脾胃、止冷痛、通血脉之功效。

2. 适用于肾阳不足、畏寒肢冷、四肢发凉、脾阳不振、尿频、遗尿、食少泄泻等症。

3. 此粥属大辛大热之粥，故凡阴虚火旺和阳证出血者禁用，孕妇忌用。

龙眼粥

材料 龙眼肉 30 克、大米 100 克。

调料 红糖适量。

∷ 做法

1. 龙眼肉洗净，用温水浸泡片刻。

2. 大米淘洗干净，放入沙锅中，加适量水，置大火上煮至沸，加入龙眼肉、红糖，小火微沸至米烂、汤稠，表面有粥油形成即可。

❤ TIPS
贴心小提示

1. 此粥具有大补气血、开胃益脾、养气安神、补虚疗损之功效。

2. 此粥适用于心脾虚损、头昏失眠、贫血健忘、心慌气短、神经衰弱等症，是人们冬令进补佳品。

3. 痰湿中满及外感高热者，不宜食用。

银耳红枣粥

材料 银耳10克、大米100克、红枣5枚。

调料 冰糖适量。

做法

1.将银耳浸泡半天，洗净，去蒂，撕碎待用；大米淘洗干净；红枣洗净。

2.将大米和红枣一同放入锅中，加适量水，大火煮沸后，加入银耳和冰糖，继续小火煮至米烂粥稠即可。

♥ TIPS
贴心小提示

1.此粥具有滋脾润肺、补脾补虚、益气生津、养心安神等功效。

2.适用于气血亏虚、肺燥干咳少痰、心悸失眠、贫血、胃肠燥热等症。

3.感冒发热及一切实热症者不宜食用。

猪肝绿豆粥

材料 新鲜猪肝、大米各100克，绿豆60克。

调料 盐、味精各适量。

做法

1.绿豆、大米洗净，浸泡30分钟；猪肝洗净，滚水焯烫，捞出，切片。

2.锅内倒水，放入大米、绿豆一起煮，大火煮沸，再改用小火慢熬。

3.粥煮至八成熟之后，再将猪肝放入锅中同煮，熟后加盐、味精调味即可。

♥ TIPS
贴心小提示

此粥补肝养血、清热明目、美容润肤，可使人容光焕发，特别适合那些面色蜡黄、视力减退、视物模糊的体弱者食用。

决明子粥

材料 炒决明子 10 克、大米 60 克。

调料 冰糖适量。

做法

1.决明子加水煎煮取汁备用。

2.用决明子汁和大米同煮，成粥后加入冰糖即可。

♥ TIPS

贴心小提示

1.此粥清肝、明目、通便。对手目赤红肿、畏光多泪、高血压、高血脂、习惯性便秘等症效果明显。

2.炒决明子中药店有售。

状元及第粥

材料 大米 150 克、牡蛎 50 克、猪瘦肉 25 克、鲜虾皮、橄榄菜各适量。

调料 葱、油、酱油、料酒、胡椒粉、盐、味精各适量。

做法

1.大米洗净，用少量油拌匀，放入粥锅中，加入清水，上大火煮沸，立即转小火，煮约 45 分钟至熟；葱洗净切成葱花；猪瘦肉洗净剁成肉馅。

2.牡蛎洗净，沥干水分；猪肉馅加料酒、酱油、盐、味精、胡椒粉拌匀，放入油锅，煸炒至变色，和牡蛎一起倒入粥锅中，再放入鲜虾皮、橄榄菜搅拌均匀，煮10 分钟，转中火，撒入葱花即可。

附录1：春季养生宜忌

春天从立春之日起到立夏之日止，为四时之首，大自然的阳气初生，人体的阳气也随之向上，向外疏散，所以春季饮食应顺应自然界阳气渐生而旺的规律，注意保养维护人体的阳气，宜升补。《黄帝内经》对春季养生的原则提出："春夏养阳"，故春季多吃葱、蒜、韭、蒿、芥等温阳的蔬菜。中医理论认为人体的肝和春天之气相应，故春天肝气相对旺盛，肝气过旺时容易影响到脾的功能，使脾胃的消化功能减弱，不利健康。故《备急千金要方》认为春日宜"省酸增甘，以养脾气"。即少吃酸的食物，多吃甜的食物，如红枣、山药等。

饮食宜忌

宜

1.宜食用温补肾阳的食物。在早春气候较冷时，可以适当多食些牛蒡、藕、胡萝卜、山芋、薯类和青菜等食物，但阴虚有火者慎食。

2.宜多吃新鲜蔬果和谷类等多纤维素的食物。多食蔬菜可以弥补身体内维生素、无机盐及微量元素摄取的不足。

3.多食补充津液的食物。春天容易出现口干舌燥、皮肤粗糙、干咳、咽痛，可多食些梨、山楂、蜂蜜等食物。

4.宜多吃一些味甘性平，富含蛋白质、糖类、矿物质的食物，如瘦肉、禽蛋、牛奶、蜂蜜、豆制品、新鲜果蔬等，有利于发寒散邪，扶助阳气。

5.多吃健脾壮阳食物。中医学讲"当春之时，食应减酸宜甘以养脾壮阳"。老弱者春季进补，可多吃些含维生素、微量元素丰富且易消化的食物，如鸡、鸭、瘦肉、蛋类、新鲜蔬菜、水果、野菜。

6.宜多食小白菜、油菜、柿子椒、番茄等新鲜蔬菜和柑橘、柠檬等水果，这类食物富含维生素C，具有抗病毒作用。

7.宜多食胡萝卜、苋菜等黄绿色蔬菜，这些蔬菜富含维生素A，具有保护和增强上呼吸道黏膜和呼吸器官上皮细胞的功能，从而可抵抗各种致病因素侵袭。

8.宜多食富含维生素E的食物，如芝麻、青色卷心菜、花菜等，以提高人体免疫功能，增强机体的抗病能力。

9.宜食韭菜、香椿头、百合、枸杞藤、马兰头、豌豆苗、荠菜、螺蛳、茼蒿、山药、大蒜、菊花脑、春笋、甘蔗、荸荠、藕、萝卜、平菇、金针菇、木耳、银耳、五谷、芋头、莲子、银鱼，以及西洋参、沙参、决明子、白菊花、首乌粉等。

忌

忌吃生冷油腻之物。忌吃羊肉、狗肉、鹌鹑、荞麦、海鱼、虾及辛辣食物。少吃酸味食品，中医认为春季肝气旺盛，多食酸味食品会使肝气过剩而损害脾胃。

附录2：夏季养生宜忌

夏季从立夏之日起到立秋之日止。夏季炎热，阳气最盛，人体的新陈代谢旺盛，通过排出汗液调节体温，以适应暑热气候。古人盛夏的养生原则是防暑邪的同时注意保护体内阳气，不可过分外泄而耗气伤津。中医认为，人体五脏中的心与夏相应，心阴不足，容易引起心火上炎，肺胃积热，由于汗多而引起口干舌燥，尿少便干，食欲不振，乏力气短，因此要多食一些生津止渴、清热解毒、益气养阴的食物。盛夏应多食清心安神、益气生津的食物，少吃生冷物以防伤及脾胃。

附　录

饮食宜忌

宜

1. 夏季食欲减退，脾胃功能较为迟钝，饮食宜清淡。夏季饮食宜注重选择白扁豆、荔枝、蚕豆、荞麦、红枣、猪肚、猪肉、牛肉、牛肚、鸡肉、鸽肉、鹌鹑肉、鲫鱼、乌龟、甲鱼、蜂乳、蜂蜜、鸭肉、牛乳、鹅肉、豆浆、甘蔗、梨等。

2. 宜多食一些生津止渴、清热解毒、益气养阴的食物，如绿豆、荷叶、西瓜、番茄、苦瓜、冬瓜、丝瓜、黄瓜、草莓、茄子、苋菜、莼菜等。

3. 盛夏应多食清心安神、益气生津的百合、莲子、莲芯、麦芽、红枣等。

4. 夏季人体对糖分和热量的需求较大，粮食进入人体后可转化为葡萄糖，是人体糖分的主要来源，因此一定要保证粮食的摄入，并注意粗、细粮搭配，饮食结构要合理。一个星期应吃三餐粗粮；稀与干要适当安排，夏季以二稀一干为宜，早上吃面食、豆浆，中餐吃米饭，晚上吃粥；荤食与蔬菜搭配合理，夏天应以青菜、瓜类、豆类等蔬菜为主，辅以荤食，肉类以猪瘦肉、牛肉、鸭肉及鱼虾类为好，其中老人以鱼类为主，辅以猪瘦肉、牛肉、鸭肉。

5. 要适当多吃一些苦味的食物，如苦瓜等，能清泄暑热、健脾、增进食欲。

6. 可以适当吃些味酸的食物，夏季汗多易伤阴，食酸能敛汗，能止泄泻。如番茄具有生津止渴、健胃消食、凉血平肝、清热解毒、降低血压之功效。在制作菜肴时，宜适量加点醋，不仅可增加风味，而且有保护维生素C及杀菌和增加食欲的功效。通过饮食调配，既可补充人体因大量出汗导致的营养损失，又能有效地避免肠道疾病的发生，同时，还有益于调节体温、消除疲劳。

7. 夏季蛋白质每日摄入量在70～90克为宜，且最好一半以上为鱼、虾、瘦肉、鸡肉、鸭肉、蛋、奶和豆制品等易被人体消化和吸收的优质蛋白质。

8. 人在夏季出现的倦怠无力、头昏头痛、食欲不振等不适还可能与缺钾有关。因此可多吃富含钾的大葱、芹菜、毛豆、草莓、杏、荔枝、桃子、李子等新鲜果蔬。

9.宜多食小米、豆类、猪瘦肉、动物肝脏、蛋黄、红枣、香菇、紫菜、梨等，以补充丢失的维生素C、维生素B_1、维生素B_2等。

10.宜以清淡爽口又能刺激食欲的饮食为主，在膳食调配上，要注意食物的色、香、味，以提高食欲，可适当多吃些凉拌菜、咸鸭蛋、咸鸡蛋、松花蛋、豆制品、芝麻酱、绿豆、新鲜蔬菜、水果等。

忌

1.忌吃过多生冷食物，如冷饮等，特别是冰激凌。生冷食物是寒性食物，寒与湿互结，就会使脾胃受损，导致泄泻、腹痛之症发生。

2.忌进餐无规律，忌过饱过饥，这样会打乱脾胃功能正常活动，使脾胃生理功能紊乱，导致胃病发生。

3.忌吃黏腻碍胃、难消化的食物。

4.忌将牛奶当饮料，喝水过多牛奶，过量的高蛋白质会影响钙的吸收。

5.忌将饮料当开水喝，饮料含热量较多，稍不留心就会造成肥胖，并且喝多了饮料，会影响开水的摄入，对身体造成不良影响。

6.忌吃水果过多。夏季水果丰富，人们对水果不存戒心，往往容易拿水果充饥解渴，稍不小心就会摄入过多的糖，要注意蔬菜和水果要兼顾，两者都要吃，并且蔬菜的量要大于水果。

7.体质虚弱者、月经过多者、消化不良的慢性胃炎患者，皆不宜多食西瓜。吃多了容易伤脾胃，造成腹胀、腹泻、食欲下降，特别是"冰镇"西瓜，很容易伤胃，一定要谨慎食用。

附录3：秋季养生宜忌

秋季是指从立秋之日起到立冬之日止，并以农历八月十五日中秋节作为气候转变的分界。秋季的气候特点是阳气渐收、阴气渐长，是"阳消阴长"的过渡阶段。《黄帝内经》中说"秋冬养阴"，因为秋冬阳气内敛，易伤体内的阴气，所以要养阴，养阴的关键是防燥。

饮食宜忌

宜

1.秋季饮食的原则是以"甘平为主"，即多吃有清肝作用的食物，少食酸性食物。中医学认为，秋季多吃酸，则克脾，引起五脏不调，而多食甘平类的食物，则会增强脾的活动，使肝脾活动协调。具有甘平清肝功能的食物有豆芽菜、菠菜、胡萝卜、菜花、小白菜、芹菜等。

2.秋季气候干燥，常常使人感到鼻、咽干燥不适。这时吃一些生津止渴、润喉去燥的水果，会使人顿觉清爽舒适。可以多吃梨、甘蔗、苹果、香蕉、橘子、山楂等。

3.可多吃些银耳、梨、芝麻、百合、藕、蜂蜜、菠菜、乳制品等益胃生津之品。

4.膳食结构合理，注意营养摄入的平衡，注意主副食的搭配及荤素食品的搭配，符合"秋冬养阳"的原则。

5.清热解暑类食品也可以适当地吃一些，比如喝些莲子粥、绿豆汤、薄荷粥等。同时提倡早晨喝粥以润身体。

6.宜食百合、芡实、菱角、莲子、山药、核桃、白扁豆、栗子、银耳、燕窝、红枣、鳝鱼、花生、枸杞、沙参、荸荠、海蜇、胡萝卜、荠菜、金针菜、平菇、海带、番茄、发菜、兔肉、黄芪、人参、何首乌、芝麻、红豆、白术、野鸭等。

7.晨饮淡盐水，晚饮蜂蜜水，既是补水分、防便秘的好方法，又能养生抗衰。

忌

1.秋季的饮食调养原则应以滋阴润燥为主。秋季在饮食方面还应注意"少辛"，因为中医五行学说认为辛入肺、酸入肝，肺气太盛，则损肝，所以对于姜、蒜、韭、椒等辛辣之品少食为好。

2.秋季忌多吃补药补品。忌过多服用参茸类补品，忌过多服用维生素片，忌过多食用肉类。

3.忌按一种口味进行补养。

4.忌多食寒凉之物，如果过多食生冷瓜果容易引起腹泻、痢疾等。

5.忌多吃西瓜、香瓜、生黄瓜、小蒜、茄子、槟榔、柿子、香蕉、绿豆、辣椒、茴香、冷茶、羊肉、狗肉、金银花等。

附录4：冬季养生宜忌

冬季气候寒冷，容易发生呼吸道和消化道疾病。为了抵御严寒，防止外邪的侵袭，则需要营养及热量充分的食物和补药。老年人在冬季由于生理功能差，新陈代谢缓慢，所以特别怕冷，这时他们比其他人更需要热能。故饮食应以温补为主。如：饮料类可改换为热饮，像热奶、热茶、热果汁等。水果类可选用桃、杏、龙眼、荔枝等偏温性水果及水果罐头或蜜饯类食品。肉食可选用鸡肉、羊肉、狗肉、鹿肉、海产品等温补性食品。此外，还可适当进食一些滋补药膳，如结合人参、鹿茸、附子、仙灵脾、仙茅、肉苁蓉、冬虫夏草、蛤蚧等烹制药膳，以增强老年人抵御外寒、强身健体、抗衰延寿的能力。

饮食宜忌

宜

1. 冬季养生的主要特点是藏热量，宜多食羊肉、狗肉、牛肉、鹅肉、鸡肉、鸽肉、鹌鹑、虾、海参等富含蛋白质及脂肪、产热量高、御寒效果好的食物。

2. 补充富含钙和铁的食物，可以提高机体御寒能力。含钙高的食品主要有牛奶、豆制品、虾皮等；含铁丰富的食物主要有猪肝、动物血、蛋黄、黄豆、芝麻、木耳等。

3. 宜补充维生素 A 和维生素 C，可以对血管起到良好的保护作用，增强耐寒能力和对寒冷的适应能力。动物肝脏、禽蛋、鱼肝油、胡萝卜、深绿色蔬菜可为人体提供维生素 A，新鲜蔬菜和水果可为人体提供维生素 C，如：圆白菜、心里美萝卜、白萝卜、胡萝卜、黄豆芽、绿豆芽、油菜等。

4. 冬季宜常吃芝麻、黄豆、花生等食物，它们含有不饱和脂肪酸，如亚油酸等。可以缓解因缺乏亚油酸引起的皮肤干燥、鳞屑增厚等症状。

5. 宜补充含碘食物，碘可促进甲状腺分泌，加快皮肤血液循环，增强机体御寒能力。含碘食物主要有海带、紫菜、发菜、海蜇、菠菜、大白菜等。

6. 可多吃些含钙、铁、钠、钾等丰富的食物，如虾米、虾皮、芝麻酱、猪肝、香蕉等。

7. 摄入充足的蛋白质，蛋白质的供给量以占总热量的15%～17%为好，所供给的蛋白质应以优质蛋白质为主，如瘦肉、鸡蛋、鱼类、乳类、豆类及豆制品等，这些食物所含的蛋白质，不仅便于人体消化吸收，而且富含必需氨基酸，营养价值较高，可增加人体的耐寒和抗病能力。

8. 宜适当吃些薯类，如甘薯、土豆等。它们均富含维生素 C，红心甘薯还含较多的胡萝卜素。多吃薯类，不仅可补充维生素，还有清内热、去瘟毒作用。

忌

1.忌过多吃火锅。吃火锅的涮肉大多是七八分熟就开始食用，容易感染旋毛虫病。

2.不宜经常食用沙锅菜。沙锅炖制的菜肴，大多加热时间过长，动物性食用原料蛋白质降解，水的化解能力减弱，凝胶液体大量析出，使其韧性增加，食用时口感差，不利于人体的消化吸收。且用沙锅炖菜，原料中的矿物质、维生素损失率高。另外，由于密封较严，原料中异味物质也难逸出，部分戊酸及低脂肪还存于原料及汤汁中，在热反应中，生成对人体有害的物质。

3.忌吃过多橘子。橘子是含热量较高的水果，一性过多食用，不论大人还是孩子，都会导致"上火"，出现口舌干燥、咽喉肿痛等症状。

4.忌喝温度过高的饮料，否则会造成广泛的皮肤黏膜损伤，蛋白质在43℃开始变性，胃肠道黏液在达60℃时会产生不可逆的降解，在47℃以上时，血细胞、培养细胞和移植器官全部死亡，所以不要在冬季经常饮用过热的饮料。

5.忌食未腌透的酸菜。未腌透的酸菜含有大量的亚硝酸盐，进入人体血液循环中，将正常的低铁血红蛋白氧化为高铁血红蛋白，使红细胞失去携氧功能。导致全身缺氧，出现胸闷、气促、乏力、精神不振等症状。此外，亚硝酸胺类化合物还是致癌物质。

6.忌进补过于油腻厚味。油腻食物难以消化，常食会伤及脾胃，对于消化不良者，关键在于恢复脾胃功能。脾胃功能良好，营养吸收才有保证。否则进补效果不好。因此，冬补应以容易消化吸收为好。

7.忌单纯进补。冬季不能单纯靠进补来保养身体，还应当有适当的体育锻炼和脑力劳动，并注意调理好饮食，方才有益于养生。

8.忌患流感时进补。冬令流感咳嗽时不宜进补，否则后患无穷。

图书在版编目(CIP)数据

四季滋补汤羹粥 /《家常百味》编委会编.—重庆:重庆出版社,2007.4

(家常百味)

ISBN 978-7-5366-8662-5

Ⅰ.四… Ⅱ.家… Ⅲ.①保健-汤菜-菜谱②保健-粥-食谱 Ⅳ.TS972.122 TS972.137

中国版本图书馆 CIP 数据核字(2007)第 043055 号

《家常百味》系列丛书·四季滋补汤羹粥

出 版 人:罗小卫		装帧设计:夏 鹏 韩少杰	
责任编辑:陈建军 余守斌		美术编辑:王道琴	
特约编辑:石艳芳 解鲜花		撰 稿:陈 明	
摄 影:刘志刚 刘 计			
菜肴制作:陈国军(北京市交通培训中心厨师长)			

重庆出版集团
重庆出版社 出版

(重庆长江二路 205 号)

北京市大天乐印刷有限责任公司 印刷

重庆出版集团图书发行公司 发行

邮购电话:010-85869375/76/77 转 810

E-MAIL:sales@alpha-books.com

全国新华书店经销

开本:889mm × 1194mm 1/48 印张:40 字数:500 千字

2007 年 4 月第 1 版 2008 年 3 月第 2 次印刷

定价:200.00 元(全 20 册)

如有印装质量问题,请致电 023-68809955 转 8005